fait pipi au lit

*Avec la collaboration
de Renaud de Saint Mars*

Série dirigée par Dominique de Saint Mars

ISBN : 978-2-88480-010-5

Ainsi va la vie

Max
fait pipi au lit

Dominique de Saint Mars

Serge Bloch

CALLIGRAM

CHRISTIAN GALLIMARD

7

Non, non, ça va être un massacre, ils vont tous se moquer de moi. Je vais perdre la face... je suis foutu...

Bonne raison pour arrêter le pipi au lit !

Chut Lili ! Pas si fort ! Ils vont entendre ! Si tu crois que ça se décide comme ça... !

Ça doit arriver à d'autres... et la classe de neige ne dure que 4 jours !

En fait, tu es bien contente de te débarrasser de moi, hein !

Non, mon loulou ! Mais ça va me faire des petites vacances à moi aussi !

9

Tu as déjà fait du ski, Juliette ?

Ça va, Max ? T'en fais pas !

Bien sûr que ça va... Pourquoi... ?

AU CHALET DANS LA MONTAGNE...

Installez-vous dans les chambres, et rangez vos affaires ! Allez, et que ça saute !

Les autres monos sont sympas, mais lui...

C'est un mono-féroce, un animal préhistorique !

10

ET AU MATIN...

Ah c'est vous... !
Justement, euh...
voilà le...

Donne...

Hé, Max, tu pars
sans nous... ?

Non, euh... mais je suis
tellement impatient de skier
que je ne pouvais plus
dormir... !

12

13

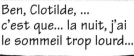

Ben, Clotilde, ...
c'est que... la nuit, j'ai
le sommeil trop lourd...

C'est normal, tous
les enfants...

Mais moi, je...
je m'oublie... Depuis cet
été, je fais pipi au lit.
On a tout essayé, rien
ne marche. Et on a vu le
docteur.

Déjà, pour ne pas ennuyer tout
le monde, tu peux demander
à ta mère de t'acheter
des couches-culottes
pour grands...

Bien sûr que non !
Tu es grand et je suis
sûre que tu as envie
de grandir...

MAIS
JE NE SUIS PLUS
UN BÉBÉ !

...Mais, comme ça, tu seras responsable de toi, c'est toi seul qui la mettras et l'enlèveras et tu t'endormiras moins stressé...

Oui, c'est terrible de ne jamais faire plaisir à ses parents... Tout est de ma faute et je ne peux rien faire...

Je te comprends, Max... mais ce n'est pas forcément de ta faute...

Ne pense plus au pipi, Max ! Essaie plutôt de trouver ce qui T'INQUIÈTE depuis six mois...

Merci !

16

17

Allez, debout, là-dedans !
Oh, mais ça sent mauvais
ici ? Snif, snif...

Ah, c'est toi qui a pissé
au lit ! Allez, défais
tes draps ! Comme si on
n'avait pas assez
de travail comme ça !

Toi, on ne te botte pas
assez les fesses chez toi !
Allez, à la douche !
Et plus vite que ça !

19

21

22

C'est la cage aux fauves, ici !
Ça empeste ! Encore Max... ! MAIS...
QUOI... Vous l'avez fait exprès !
ESPÈCES DE VANDALES !
VOUS SEREZ PUNIS !

Non ! Ça doit être les pissenlits* d'hier soir, hein Jérémy ?

Moi, je crois qu'on a été traumatisés par ce que vous avez fait à Max, hier.

* pissenlit : plante aux fleurs jaunes qui fait faire pipi et qui est très bon en salade.

23

24

MAIS, UN JOUR, IL FAUT RENTRER...

Maman !

Mon petit Max ! Ça s'est bien passé ? J'étais un peu inquiète !

Ah bon, tu étais INQUIÈTE ?

26

On a été gentil avec toi ?

Ça dépend qui...

Salut Max ! C'était vraiment génial !

Salut Jérémy, salut Juliette, Fathia, Bérénice !

On s'est bien amusés mais n'oubliez pas le contrôle !

Et le stress qui recommence...

Le stress ?

?

Arrête d'asticoter Lili !
Tu es épuisant, Max !

C'est ça ! Moi, je t'énerve toujours ! Et tu es toujours contente de Lili !

Pas du tout ! Mais j'en ai plein le dos en ce moment ! De vous, de la cuisine, de tout... !

Surtout de moi ! Alors qu'elle, Madame Parfaite, ne te donne que des satisfactions.

Ah te voilà enfin, Paul ! Mais tu vas encore dire que j'exagère ! Évidemment, tu n'es jamais là !

Ah, tu ne vas pas recommencer ! Effectivement, tu exagères !

Je n'en peux plus ! J'en ai marre de ce pipi au lit... j'ai envie que les enfants soient grands ! Et Max, j'ai peur qu'il n'y arrive pas, alors je fais tout à sa place... Je sais que j'ai tort !

Mais tu peux avoir confiance en Max, il a du ressort !

Et, cet été, mon frère n'allait pas bien, il boit trop et je ne m'en suis pas occupé... je dois être un peu déprimée en ce moment !

Je suis là, moi ! Peut-être que Max prend tes problèmes sur lui pour te protéger... C'est pas son rôle et c'est trop lourd, alors il lâche tout... la nuit !

Mais je ne lui dis rien à Max !

Un enfant ça a des antennes ! Il sent tout et il croit que c'est de sa faute !

C'est dur d'en parler ! Je ne veux pas les inquiéter...

Va voir un psy, tu retrouveras confiance en toi et en Max ! Viens à ma gym ! Pars en week-end avec Paul !

Aline, c'est bon de t'avoir comme amie ! Je me sens déjà mieux, depuis que je t'ai parlé !

smack

Bonjour Max !
Bonjour Jérôme !

Max, mon chéri, pardonne mes énervements ! C'est surtout mon frère qui m'inquiète... Mais je vais me faire aider !

Et tu crois que c'est contagieux, l'inquiétude ?

Pas impossible...

Il a oublié d'être bête, ton Max !

...Tu veux toujours dormir dans la cabane... ? Et avec Jérôme ?

Non, Max ne veut pas que je vienne...

J'ai décidé de vaincre ma peur du noir... tout seul ! Je vous raconterai demain...

Tu sais, Tom voudrait venir dormir dans la cabane.

Pas question ! pour qu'il se moque encore de moi avec le pipi au lit !

C'est un secret... mais il a arrêté de mouiller son lit depuis un mois... Je le sais par ma sœur !

Ah le traître ! il se venge de ce qu'il a souffert !

Moi, j'ai pas peur de toi !
Tu crois qu'on fait pipi parce qu'on se sent tout seul et inquiet à cause de quelque chose ou de...
quelqu'un ?

Peut-être ! Et en même temps, c'est assez agréable, je me souviens, c'était chaud...

Ça, c'est vrai !
Mais après c'est froid ! Et ça pique !

Et après tu t'es arrêté ?

Oui ! Ça part peut-être quand on est moins inquiet... Ne t'en fais pas, c'est pas pour ça qu'on devient une mauviette !

Si tu faisais un dernier pipi avant la nuit ? Il faut vider sa vessie... C'est plus confortable !

Dis, le pipi, c'est ce qui reste de la nourriture et de ce qu'on boit ?

Oui, la vessie, c'est comme un ballon qui se gonfle et qui reste fermé par un mouvement réflexe...

Moi, ça s'ouvre sans que je le décide, la nuit ! Je bois trop ?

Non, tu fais même quand ta vessie est à moitié vide... C'est le stress qui ouvre les vannes !

J'ai réussi à m'arrêter !

Tu vois, ça marche, tout est normal !

...jour !

ALOOORS ?

J'AI GAGNÉ !

Et toi...

Est-ce qu'il t'est arrivé la même histoire qu'à Max ?

Te sens-tu honteux ? coupable ? As-tu peur qu'on se moque de toi ? De dormir ailleurs ? Est-ce qu'on te punit ?

Te sens-tu en insécurité à cause d'une séparation ? d'une naissance ? de l'école ? de disputes ? de gronderies ?

Arrives-tu à parler de tous tes problèmes ? Ou as-tu l'impression de trop te contrôler dans la journée ?

Sens-tu ta mère triste, seule, inquiète ? Penses-tu que c'est à cause de toi ? As-tu envie de l'aider sans le dire ?

Crois-tu que tes parents ne sont jamais contents de toi, ta vie ne leur fait pas plaisir, ton frère est plus important ?

Ton père te fait-il peur parfois ? Te traite-t-on comme un bébé ? Ou a-t-on envie que tu grandisses trop vite ?

As-tu appris quand tu étais petit ? As-tu recommencé
à la suite d'un problème ? Comment ça s'est arrêté ?

As-tu d'autres problèmes de la nuit ? cauchemars ?
fuites de caca ? asthme ? Ça te fait souffrir ?

Te sens-tu en sécurité même si tes parents ont des soucis ?
Y a-t-il autour de toi, des amis ? de la famille ?

Tes parents te parlent-ils parfois de leurs émotions ?
Écoutent-ils les tiennes ? Ça t'aide à exister par toi-même ?

Quand tu es en colère, inquiet, effrayé, triste, dis-tu ce que
tu ressens à quelqu'un dans ta famille, ou ailleurs ?

As-tu des frères, sœurs ou copains qui font pipi ? As-tu envie
de te moquer d'eux ? Ou comprends-tu qu'ils souffrent ?

**Après avoir réfléchi
à ces questions
sur le pipi au lit
tu peux en parler
avec tes parents ou tes amis.**